Le secret du tatouage

Eric Sanvoisin
Jean-François Dumont

Père Castor
Flammarion

1. Un tigre rouge

– **M**ontez ! Dépêchez-vous !
La chenille va partir !

Le forain distribue les tickets
au départ du grand huit.

– Viens, Karim !
me lancent les copains. Monte,
qu'est-ce que tu attends ?

– Allez-y sans moi...
Je vous retrouverai tout à l'heure...
je vais manger une barbe à papa.

La chenille démarre
dans un crissement assourdissant
et commence à escalader les rails.
De grands "Aaahhhh!" s'échappent
des wagons, au moment
où la machine s'apprête
à redescendre dans le vide.

Je ne perds pas de temps.

Je me fraye un chemin à travers
la foule, je longe le train fantôme
et j'arrive devant le stand
qui m'a tant intrigué tout à l'heure.
Je relis la phrase écrite
en grosses lettres au-dessus
du guichet :

**Pour 20 francs...
une méthode infaillible
pour vaincre la timidité.**

J'ai bien envie d'essayer.

Le forain, qui s'approche, lisse
sa longue moustache et me dit :
–Si tu es timide avec les filles,
petit, j'ai quelque chose qui peut
t'aider…
–Qu'est-ce que c'est ?
–Regarde ! ajoute-t-il
en soulevant son tee-shirt. Il suffit
d'un tatouage comme celui-ci.

Et il me montre
un magnifique tigre rouge,
tatoué sur son cœur.

–Un tatouage? Comment
ça marche?

–Tu ne veux quand même pas
que je te donne la recette!
Je peux juste te dire
que c'est un tatouage magique
qui stimule le courage.

Je fixe l'animal
avec émerveillement.
Il semble bondir du cœur.

–Et ça fonctionne tout de suite ?

–Non, il faut attendre

quelques jours. Et puis…

il ne faut pas oublier d'ajouter

sous le tigre

un petit mot d'amour

avec le nom de la jeune fille

que tu aimes.

–Un mot d'amour ?

Et si quelqu'un le voit ?

–C'est juste pour quelques jours,

répond le forain

avec un léger sourire.

Une fois que tu auras déclaré

tes sentiments, le tatouage s'effacera

de lui-même.

Je réfléchis quelques secondes.
Après tout, je n'ai rien à perdre.
Je soulève mon tee-shirt
et lui désigne l'emplacement
de mon cœur.
– Vous pouvez me le tatouer là,
s'il vous plaît ? C'est pour Maeva…

2. Maeva

Maeva est arrivée
dans notre école cette année.
Dès que je l'ai vue, je suis tombé
amoureux d'elle. Le problème,
c'est que je suis timide.
Chaque fois qu'elle me parle,
je rougis comme une tomate.

J'espère que le tatouage
va être efficace !
Le forain a écrit sous le tigre :
« Maeva, ma copine pour la vie ».

Évidemment,
je ne le montrerai à personne,
surtout pas aux copains...
ils se ficheraient de moi.
Je me cacherai lorsque je mettrai
mon maillot de basket,
je ferai toujours attention
quand je prendrai ma douche, je...

– Karim, me dit maman.

– Oui ?

– N'oublie pas que demain tu vas
à la piscine.

– La piscine… Ah ! oui,
j'avais oublié.

– J'ai sorti une serviette
et ton maillot de bain.
Tu penseras à les emporter.

– Pas de prob…

Je n'arrive pas à finir ma phrase.
Le maillot de bain... la piscine...
le mot d'amour sur ma poitrine...
Horreur! Toute l'école va
se moquer de moi!

Avant de me coucher, je frotte
de toutes mes forces avec le savon,
mais rien à faire : le mot d'amour
ne part pas !

Le lendemain matin, je fais
semblant d'avoir mal au ventre.
—Évidemment, ça tombe
au moment où tu dois aller
à la piscine, soupire maman
en me tendant le thermomètre.
Voyons si tu as de la température !

Une minute plus tard,
elle s'énerve :
—37,2 °C ! J'étais sûre que tu n'avais
rien ! Tu as intérêt à filer à l'école
tout de suite. Et n'oublie pas
ton sac pour la piscine !

En arrivant à l'école, je décide
de faire croire à notre instituteur
que je suis malade.
Mais Maeva et sa copine Leslie
me surprennent à l'entrée
de la classe :
–Bonjour Karim. Tu vas bien ?
–Euh… pas trop…
J'ai mal au ventre…

– C'est normal, se moque Philippe.

Tu as peur de plonger

dans le grand bassin.

  Philippe est un copain

qui m'embête toujours.

Il est amoureux de Leslie,

mais il n'ose pas le lui dire

parce qu'il est aussi timide

que moi.

  Je ne veux pas paraître ridicule

devant Maeva. Je réponds :

– J'ai mal au ventre,

mais je n'ai pas dit que je n'irai pas

à la piscine… au contraire,

j'ai même très envie de plonger !

– Si tu n'es pas bien, il faut le dire

au maître, me conseille Maeva.

Je me redresse comme un héros
de western et déclare :
– Oh, ce n'est pas grave !
Je n'ai pas si mal que ça…
    Maeva m'adresse un sourire.
Je rougis…

3. Sauvé !

Monsieur Soler,
notre instituteur, a bien du mal
à nous faire taire dans le bus.
Tout le monde est excité, sauf moi
qui réfléchis à la manière de cacher
mon tatouage.

Notre bus se gare. Je descends
avec les autres, la peur au ventre…
– Le vestiaire des garçons est
à gauche, avertit Monsieur Soler,
celui des filles à droite.

Je longe le couloir qui mène
aux cabines lorsque j'aperçois
le gardien de la piscine sortir
de l'infirmerie. Il n'a pas refermé
la porte à clé. Voilà ma chance !

Je m'écarte du groupe
et me glisse furtivement
dans la pièce.
L'infirmerie est froide et encombrée
de placards métalliques.
Les étiquettes me conduisent
rapidement à ce que je cherche :
des gros pansements de la taille
de mon tatouage. J'en cache un
dans ma poche et me dépêche
de ressortir avant que le gardien
ne revienne.

– Plus vite!
s'impatiente monsieur Soler,
vous êtes les derniers!

Pas facile à coller, un pansement!
Je recommence plusieurs fois avant
de le positionner comme il faut.
Un bref passage devant le miroir
me rassure.
«Comme ça, me dis-je,
personne ne verra rien.»

Je sors de la cabine et j'aperçois
le maître sous la douche.
C'est drôle de voir son instituteur
en maillot de bain. Je rigole
en l'imaginant devant le tableau
dans cette tenue.

–Monsieur Soler, monsieur Soler,
crie soudain Philippe en surgissant
derrière moi. J'ai oublié
mon maillot de bain !
–Ça ne m'étonne pas de toi,
rouspète l'instituteur.
Mais tu ne t'en tireras pas
comme ça ! Je téléphone chez toi
pour que quelqu'un te l'apporte.

4. Le plongeon

Ma sortie des vestiaires est
très remarquée.

– Pourquoi as-tu un pansement ?
me demande Leslie.

Je réponds :

– Euh… je suis tombé de vélo…
et je me suis éraflé.

– Décidément, s'inquiète Maeva.
Déjà que tu as mal au ventre…

Trop heureux de l'épater,
je réponds en bombant le torse :
– Ne t'inquiète pas, c'est juste
un petit bobo !

Le maître nageur est vraiment
sympathique. Il nous fait exécuter
plusieurs exercices dans l'eau
et nous apprend des jeux.
– Très bien, lance-t-il
tout d'un coup. Maintenant, sortez
du bassin et mettez-vous en file
indienne au bord de la piscine.
– Super ! s'exclame Maeva.
On va plonger !

– La dernière fois, vous avez appris
le plongeon de départ.
On va voir si vous vous en souvenez.
– J'y vais ! lance Maeva.

Elle se place au bord du bassin,
fléchit les genoux, baisse la tête
et se détend brusquement
en tendant les bras en avant.
Je la vois transpercer
la surface de l'eau et remonter
au bout de quelques secondes.
– Parfait ! applaudit le maître nageur.

C'est au tour de Leslie.
Elle plonge aussi bien que Maeva
et ressort de l'eau sans problème.
Lorsqu'arrive mon tour,
mon cœur bat comme un tambour.
Je sais que tout le monde
me regarde. Je ferme les yeux
et me jette en avant. Plouf!
Les bulles m'entourent
comme des abeilles.
Je remonte et reprends
ma respiration.

– Karim ! me lance soudain Maeva
en pointant son doigt
dans ma direction.

Je me retourne et j'aperçois
mon pansement flotter sur l'eau.
Catastrophe…

5. Rebondissement !

Si je sors de la piscine,
ils vont voir le tatouage
avec le mot ! Quelle honte !
– Ça va ? me demande
le maître nageur.
– Euh… oui, ça va…
– Alors au suivant !

Je rejoins le bord du bassin,
sors de l'eau et cours
jusqu'à mes affaires,
une main posée sur ma poitrine.
–Tu as mal ? demandent
à leur tour Maeva et Leslie.

Je sursaute. J'ai juste le temps
de couvrir ma poitrine
avec une serviette.
–Euh… non, ça va…
ce n'est pas grave…
je remettrai un autre pansement.

Ouf! Je l'ai échappé belle.
Quelle journée! Je voudrais
tellement que tout soit fini!

– Nous allons maintenant
perfectionner une nage
que vous aimez bien : le dos crawlé,
explique le maître nageur.
Ceux parmi vous qui ont
des difficultés peuvent s'entraîner
avec ces ceintures.

Il nous montre des flotteurs
en plastique reliés par des lanières.
– Vous en avez sûrement déjà
porté, mais je préfère
vous remontrer comment
les attacher. Toi là-bas,
viens vers moi !

Je me retourne, mais n'aperçois personne.

– C'est à toi que je parle ! insiste le maître nageur. Dépêche-toi !

Je deviens écarlate.

– Euh… je ne peux pas… mon pansement est parti et…

– Montre-moi si c'est grave, s'inquiète l'instituteur en s'avançant vers moi.

– Non, non, ce n'est pas grave… enfin si… enfin non…

– N'aie pas peur, montre-moi, insiste monsieur Soler.

Il soulève ma serviette !
Je préfère fermer les yeux…

– Le Mercurochrome a coulé,
déclare-t-il. Tu en as mis
sur ta serviette.

Je regarde mon tatouage
et découvre une grosse tache rouge
à la place du tigre.
Le mot d'amour aussi a disparu.
L'eau de la piscine a tout effacé !

C'est alors que retentit la voix
d'un copain surgissant
des vestiaires :
–Regardez ! Philippe s'est mis
en maillot de bain ! Et vous savez
quoi ? Il a un super tatouage !
Un énorme tigre sur la poitrine.
Et juste en dessous, c'est écrit :
«Pour Leslie que j'adore».

Toute la classe éclate de rire.

– Arrêtez ! se fâche monsieur Soler.

Philippe sort des vestiaires,
la tête basse. Le pauvre !
Il a essayé la même méthode
que moi pour vaincre sa timidité.
Voilà pourquoi il ne voulait pas
se mettre en maillot de bain !
Et maintenant, tout le monde
se moque de lui.

Alors que nous entrons
dans l'eau, Leslie se dirige
discrètement vers lui.
Qu'est-ce qu'ils font ?
Ils se parlent tout bas…
mais… elle lui sourit !
Elle lui prend la main !
La classe entière est abasourdie.

–Regardez! s'exclame Leslie.
Philippe m'a écrit un mot gentil.
–Il y en a qui ont de la chance,
soupire Maeva.

Je n'en reviens pas. Elle aurait
voulu des mots doux, elle aussi…
Puisque c'est comme ça, ce soir
je retourne à la fête foraine.
Je vais redemander
le même tatouage et,
la prochaine fois, je lui montrerai!

Cet après-midi-là,
sitôt mon entraînement terminé,
je me précipite vers les manèges.
– Karim, me lancent les copains.
Tu ne rentres pas avec nous ?
– Pas ce soir. J'ai quelque chose
d'urgent à faire !

Je traverse les carrefours,
me faufile entre les voitures
et débouche sur la grande place
où s'étend la fête foraine.
Le tatoueur me reconnaît :
– Tu es déjà venu hier,
s'étonne-t-il. Tu as un problème ?
   Je réponds, essoufflé :
– Oui… l'eau de la piscine…
elle a tout effacé.
– Ah… les piscines ! soupire
le forain. Avec les produits
chimiques qu'on verse dedans…

Il ajuste ses lunettes et dessine
sur ma poitrine un tigre
bien plus magnifique
que le précédent.
Son corps est plus grand,
ses couleurs plus éclatantes.

– Tu as déjà essayé de déclarer
tes sentiments ? me demande-t-il
en inscrivant le mot d'amour.
– Ben… non. C'est dur…
– Tu sais… Maeva est peut-être
un peu timide, elle aussi.
– Maeva, timide ?
Ça m'étonnerait !

MAEVA, MA COPINE POUR LA VIE

Ce soir-là, j'arrive à la maison
en retard.

–Que t'arrive-t-il ? me demande
maman. Tu as l'air tout excité…
Ça s'est bien passé à la piscine ?

–Super! On y retourne
la semaine prochaine…
j'aimerais déjà y être!

–On aura tout vu… soupire papa.

6. La surprise...

La semaine passe lentement…
trop lentement. Certains matins,
je me dis que je pourrais soulever
mon pull et montrer à Maeva
ce qui est écrit sur mon cœur mais,
à chaque fois, ma timidité l'emporte.

Philippe et Leslie, eux, sont heureux. Ils s'amusent et rient tout le temps.

Du coup, Maeva est un peu triste car Leslie n'est plus avec elle.

« Ne t'inquiète pas, Maeva, dis-je au fond de moi. La prochaine fois qu'on ira à la piscine… tu auras une sacrée surprise ! »

Je rêve la nuit que je sors des vestiaires, courageux comme le tigre sur mon cœur. Un copain alerte toute la classe… Maeva se retourne. Elle s'approche de moi, lit le mot d'amour et me fait un sourire.

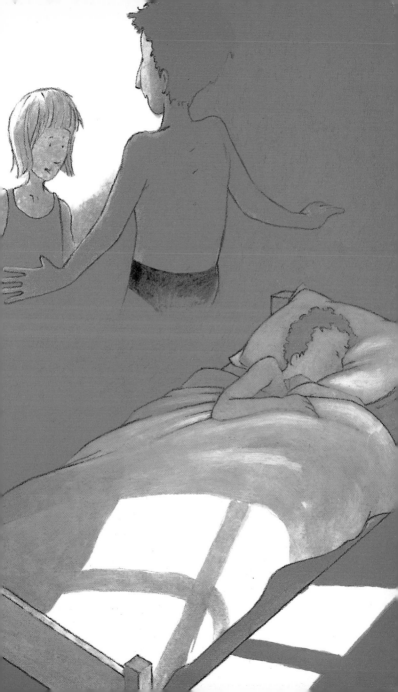

Enfin ! Voilà le jour fatidique !
Notre instituteur nous met
en rang, lorsque soudain
le directeur s'avance :
– Il y a un contretemps,
annonce-t-il.
– Un contretemps ? s'étonne
monsieur Soler.
– Le cours de piscine est annulé.
Le maître nageur est malade.
Et, malheureusement,
il n'y aura pas d'autres sorties.
J'ai l'impression
que le ciel me tombe sur la tête !

– Qu'est-ce que tu as ?

me demande Maeva à la récréation.

– Oh, rien…

– C'est parce qu'il n'y a plus

piscine ?

Je ne réponds pas. Je regarde

Leslie et Philippe s'amuser

ensemble.

Une colère monte alors en moi :

«Ça ne peut plus durer comme ça!

Je ne suis qu'un idiot.

Il faut que je dise à Maeva

ce que j'ai sur le cœur!»

Je m'apprête à faire
ma déclaration, mais ma voix
se noue. Du coup, je bafouille :
– Maeva… Tu sais…
moi aussi j'ai…
– Tu as quoi ? demande-t-elle.
– Ben… j'ai…
   Qu'est-ce que c'est dur !
Les mots se coincent
dans ma gorge.
Impossible de continuer.

À quelques mètres de nous,
Leslie et Philippe se taquinent.
Dire qu'on pourrait être
comme eux !
Je rassemble tout mon courage,
respire un grand coup et reprends :
– Ben… moi aussi… j'ai un tatouage
avec un tigre… et…
– Et ?
– Et ton prénom en dessous,
dis-je en baissant les yeux.
– Tu as fait ça ?
– Ben… oui…
– Pour moi ?

Je soulève doucement mon pull
et laisse apparaître le tatouage
avec le mot d'amour.

Maeva sursaute.

– Karim ! On a eu la même idée !

Elle retrousse sa manche
et me montre sur son bras
un tigre magnifique
avec ce petit mot écrit
juste en dessous :
« Pour Karim, mon timide adoré. »

POUR KARIM, MON TIMIDE ADORÉ

L'auteur

Eric Simard est né en 1962,
et a jeté l'encre à Saint-Malo.
Il a voyagé en Europe
avant de s'évader à travers les mots.
Il les accroche comme des wagons
et s'amuse à leur faire prendre
des destinations surprenantes.
Dans la même série, il est l'auteur
de *La poudre de perroquet*.

L'illustrateur

Jean-François Dumont est né en 1959
et vit à Paris.
Après des études d'architecture,
il s'est consacré au dessin
dans des secteurs aussi divers
que la presse, la publicité,
l'édition jeunesse et scolaire. Ce qui
l'intéresse le plus, c'est le travail
d'expression des personnages.
Il a illustré *Maman ne sait pas dire non*
dans la série «Loup-Garou».

Autres titres de la collection

Jo la Pêche et les bisons
Toute la classe part dans une ferme
où il y a des vrais bisons. C'est l'occasion
d'un nouveau défi pour Jo la Pêche!

Le tailleur et ses trois fils
À cause d'une chèvre malveillante, les troi
fils du tailleur doivent quitter leur maison
Pourront-ils un jour rentrer chez eux ?

La poudre de perroquet
«Si Gaël n'avait pas amené son souvenir
de vacances à l'école, nous n'aurions pas
eu autant d'ennuis aujourd'hui…»

Le Super-Broute-Papier
Le papa de Benoît est un génie. Mais
quand il invente une poudre pour élimin
les papiers, les ennuis commencent…

Le Dernier des Ogres
Quand le Dernier des Ogres aide la derni
de la classe à épater ses copains d'école,
le résultat est surprenant…